DIE BÜCHER MIT DEM BLAUEN BAND

Regina Kehn studierte Illustration an der Hochschule für Gestaltung in Hamburg. Seit 1990 arbeitet sie als freie Illustratorin für Zeitschriften und Kinderbuchverlage. Für ihre Illustrationen wurde Regina Kehn 1993 für den Deutschen Jugendliteraturpreis nominiert und erhielt 1996 die Bronzemedaille in der Sparte Illustration vom Art Directors Club. Sie lebt mit ihrem Mann und ihren beiden Töchtern in Hamburg.

Weitere Informationen über das Kinder- und Jugendbuchprogramm der S. Fischer Verlage, auch über E-Book-Ausgaben, gibt es unter www.fischerverlage.de

Das
literarische
Kaleidoskop

ausgesucht
und
aufgezeichnet
von Regina Kehn

※ | KJB

DIE BÜCHER MIT DEM BLAUEN BAND
Herausgegeben von Tilman Spreckelsen
www.fischerverlage.de

FÜR NILS, MARIELENA UND LUCIA

Erschienen bei FISCHER KJB

Für die Zusammenstellung und die Illustrationen:
© S. Fischer Verlag GmbH, Frankfurt am Main 2013
Umschlaggestaltung: bilekjaeger, Stuttgart,
unter Verwendung einer Illustration von Regina Kehn
Quellenverzeichnis im Anhang
Im künstlerischen Prozess erfolgte Abweichungen vom
Originaltext in Rechtschreibung, Zeichensetzung und/oder
Wortwahl wurden, soweit möglich, korrigiert.
Satz: Dörlemann Satz, Lemförde
Litho: Jan Scheffler prints professional, Berlin
Druck und Bindung: CPI books GmbH, Leck
Printed in Germany
ISBN 978-3-596-85618-3

Inhalt

Daniil Charms

Die vierbeinige Krähe

eine Küche,

vier Beine. Sie hatte

eigentlich sogar

fünf

Beine,

1. 2. 3. 4.

⑤

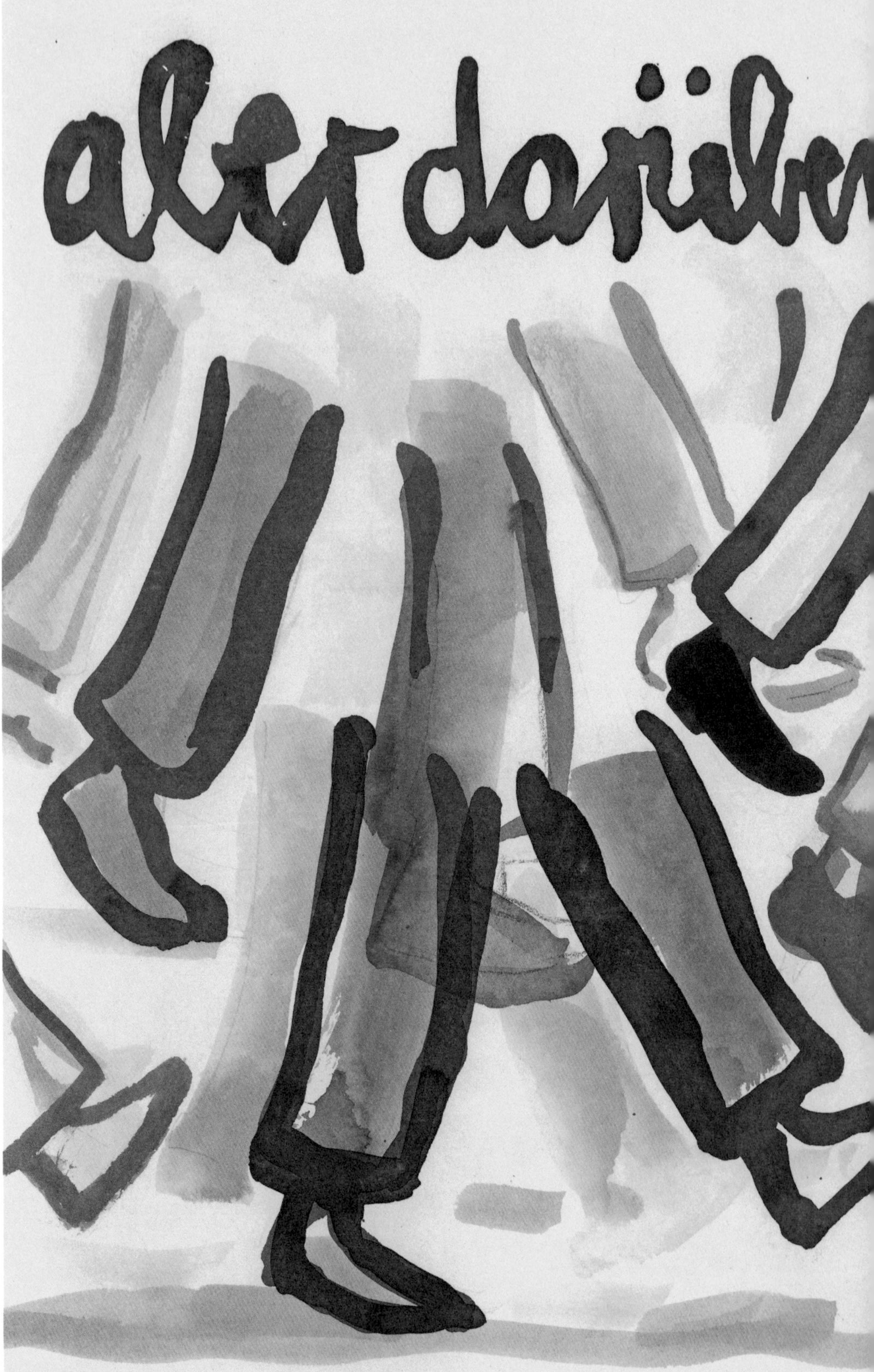
aber darüber

lohnt
nicht zu
redem.

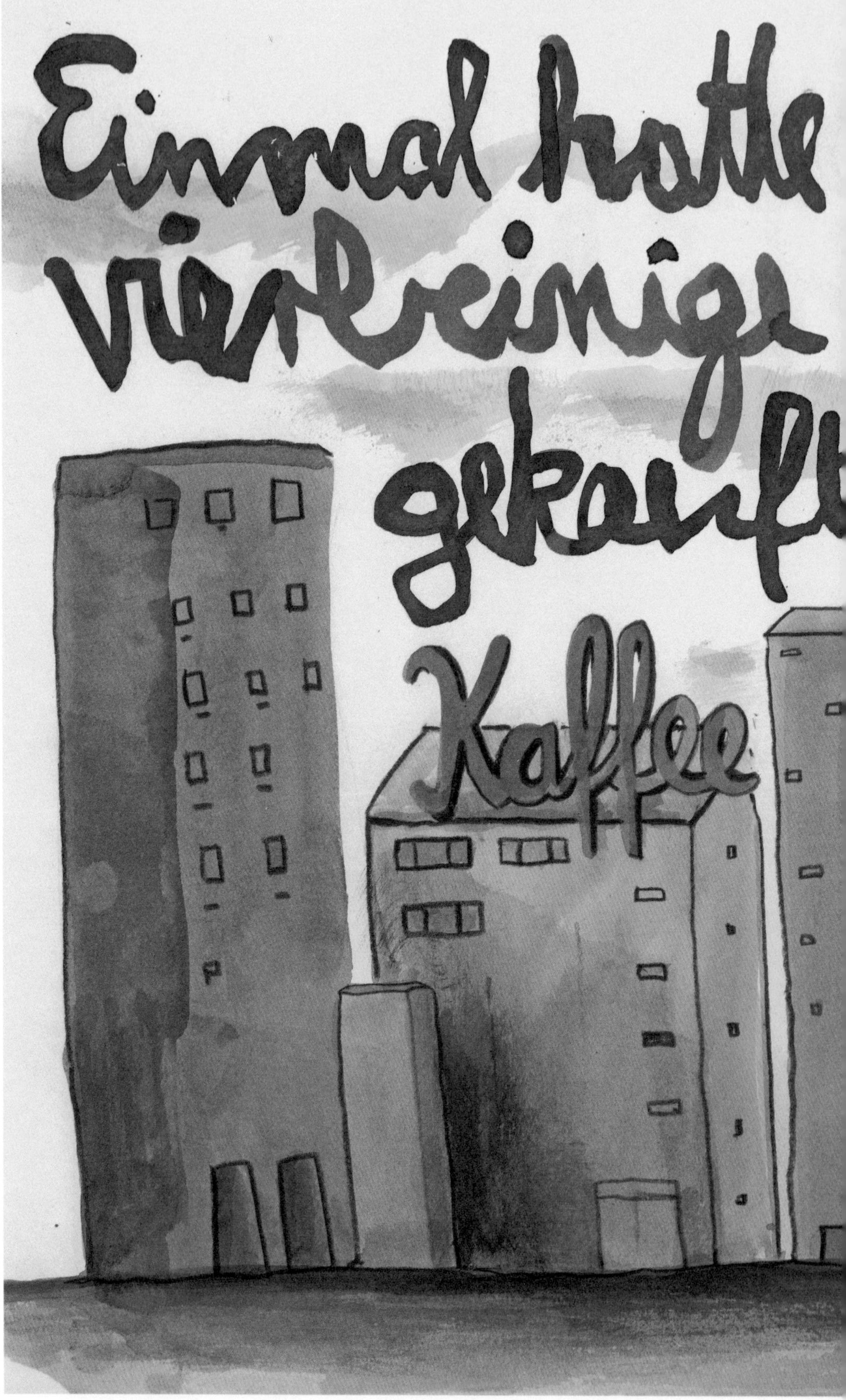
Einmal hatte
Kaffee

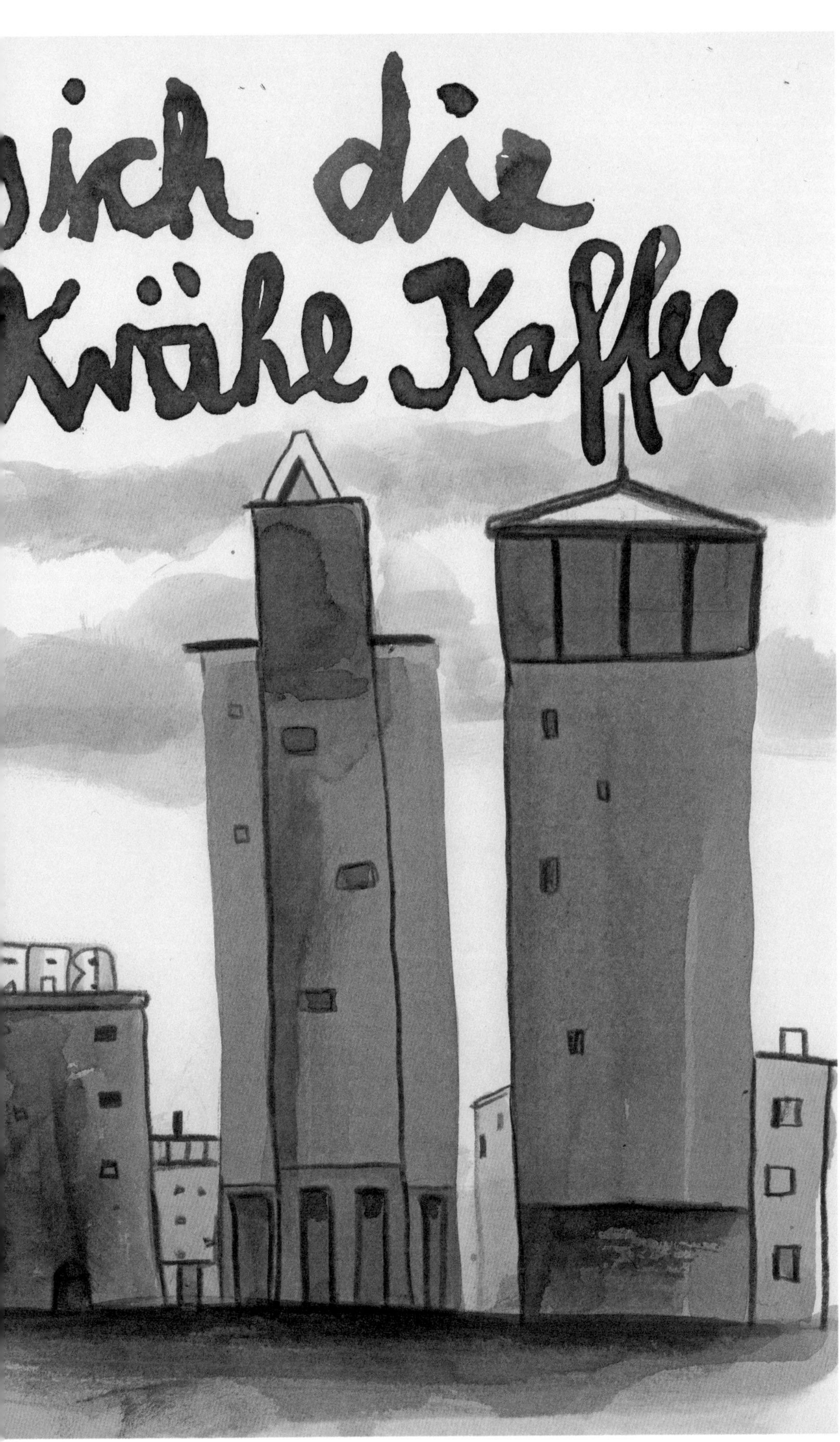
sich die
Krähe Kaffee

und dachte

mit Kaffee

aber was mach

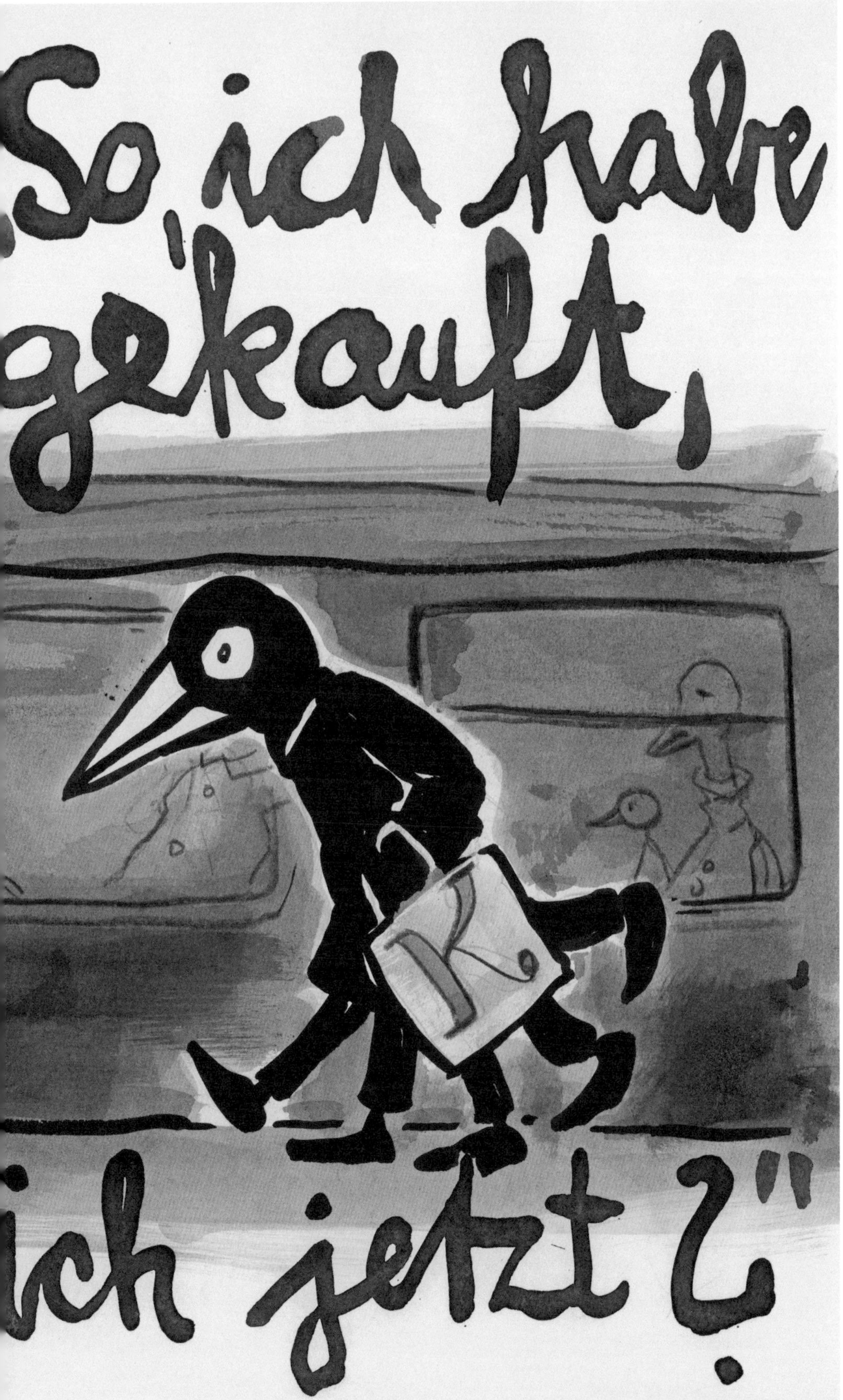
So ich habe
gekauft,
ich jetzt ?"

Da kam weise ein des Wegs

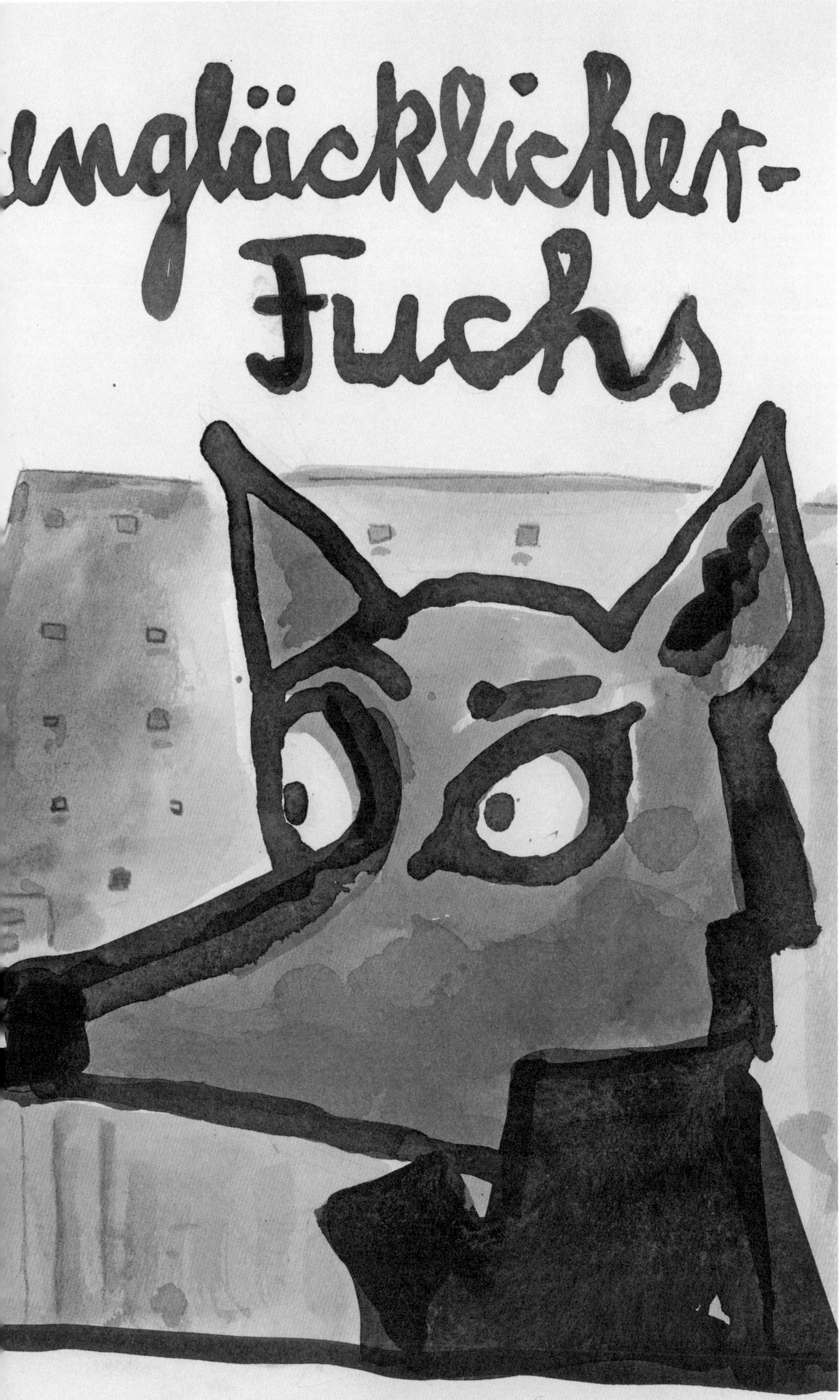
unglücklicher-
Fuchs

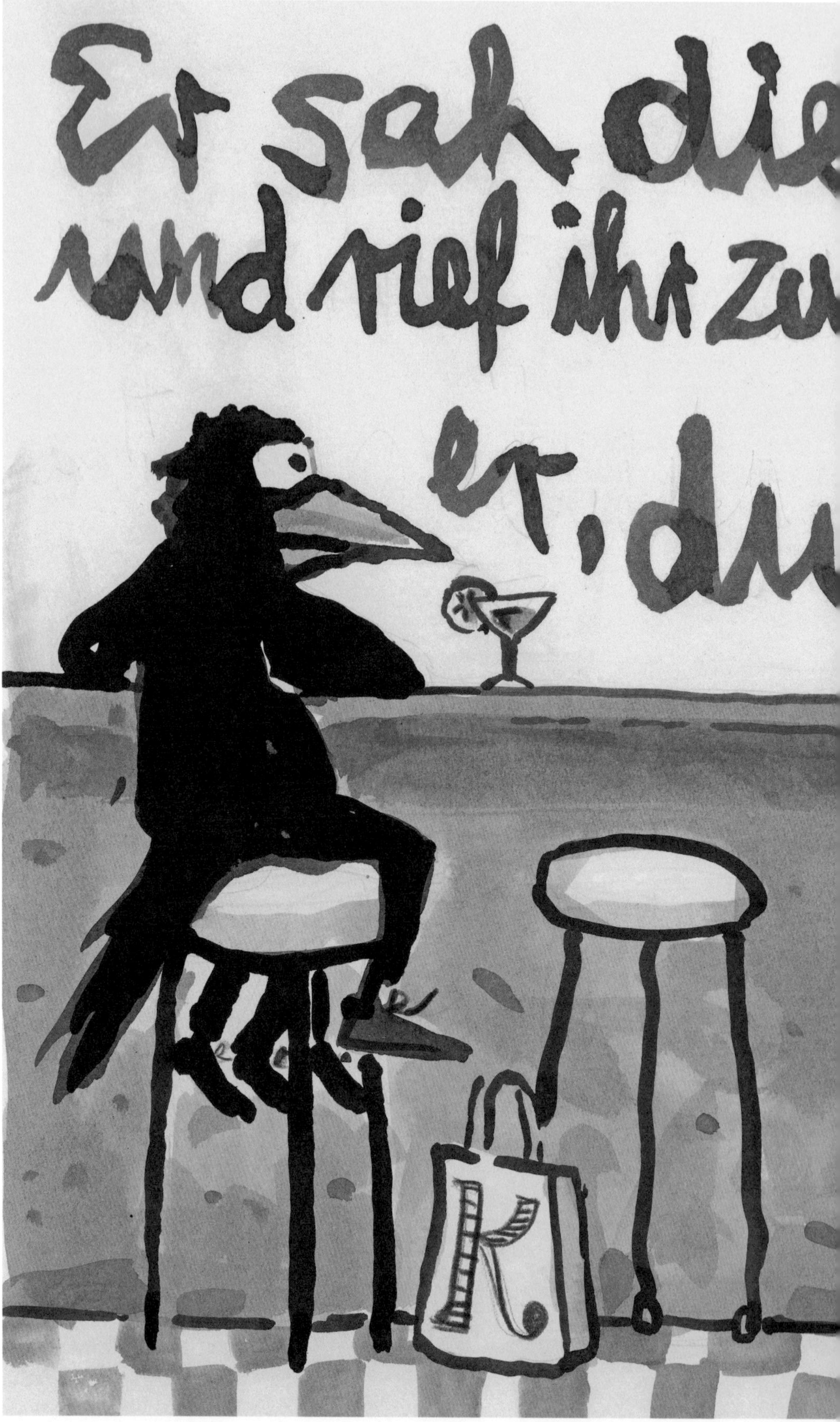
Er sah die
und rief ihr zu
er, du

Und die
zurück :

Ruft der

Und du
bist ein

Fuchs
zurück:

Krähe,
Schwein!

Da verschütte
vor Ärger

den ganz

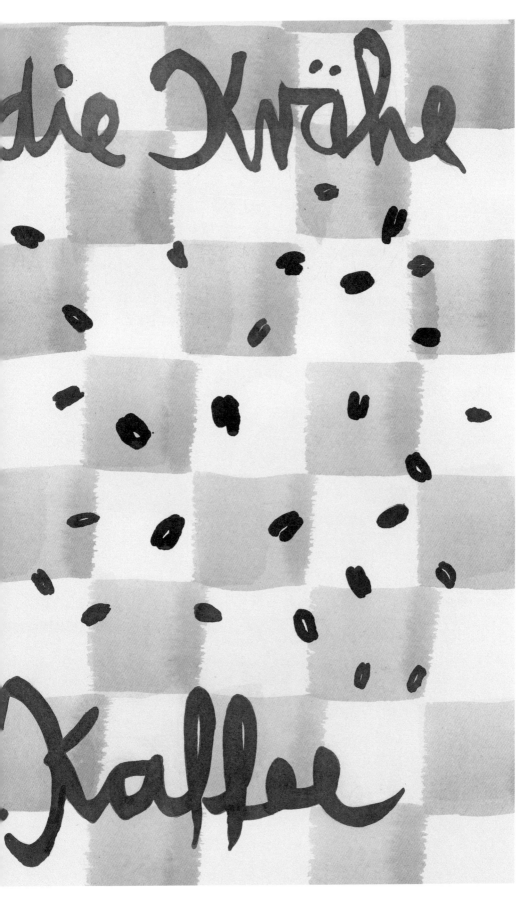

die Krähe

Kaffee

Und der
davon.

Die Krähe
kletterte zu

Fuchs lief

aber
Erde hinab

und ging au

genauer fünf

in ihr arm

ihren vier,
Beinen

eiiges Haus.

James Krüss
Der Garten des Herrn Ming

Im stillen Gartenreiche,
Des alten Gärtners Ming,
Da schwimmt in einem Teich
Ein Wasserrosending.

Den alten Ming in China
Entzückt sie ungemein,
Er nennt sie Catharina
Chinesisch: Ca-ta-rain.

Mit einer Pluderhose
Und sehr verliebtem Sinn
Hockt er sich bei der Rose
Am Rand des Teiches hin

Er singt ein Lied und fächelt
Der Rose Kühlung zu.
Die Rose aber lächelt
Nur für den Goldfisch Wu.

Sie liebt das goldne Fischchen
Das oft vorüberschießt
Und auf den Blättertischen
Den Rosenduft genießt.

Doch Wu, der Goldfisch-Knabe,
Der lockre Bube, gibt
Ihr weder Gruß noch Gabe,
Weil er ein Hühnchen liebt.

Er liebt Schu-Schu, das klei[ne]
Goldrote Hühnerding.
Jedoch Schu-Schu, die Feine,
Liebt nur den Gärtner Ming[.]

So liebt Herr Ming Cathrina,
Cathrina liebt den Wu,
Wu liebt Schu-Schu aus China,
Den Gärtner liebt Schu-Schu.

Man liebt sich sanft und lei[se]
Doch keiner liebt zurück.
Und niemand in dem Kreis[e]
Hat in der Liebe Glück.

Sie leben und sie warten,
Sind traurig und verliebt
In diesem kleinen Garten,
Von dem es viele gibt.

Joachim Ringelnatz

Arm Kräutchen

Ein Sauerampfer
auf dem Damm
Stand zwischen
Bahngeleisen,

Machte vor jedem D-Zug stramm, Sah viele Menschen reisen

Und stand
verstaubt und
schluckte Qualm
Schwindsüchtig
und verloren,

Ein armes Kraut,
in schwacher
Halm,
Mit Augen,Herz
und Ohren.

Sah Züge
schwinden,
Züge nahn.
Der arme
Sauerampfer

Sah Eisenbahn
um Eisenbahn,
Sah niemals
einen Dampfer.

Günter Eich
Wo ich wohne

Als ich das Fenster öffnet
schwammen Fische

ins Zimmer
Heringe. Es schien

eben ein Schwarm
vorüberzuziehen.

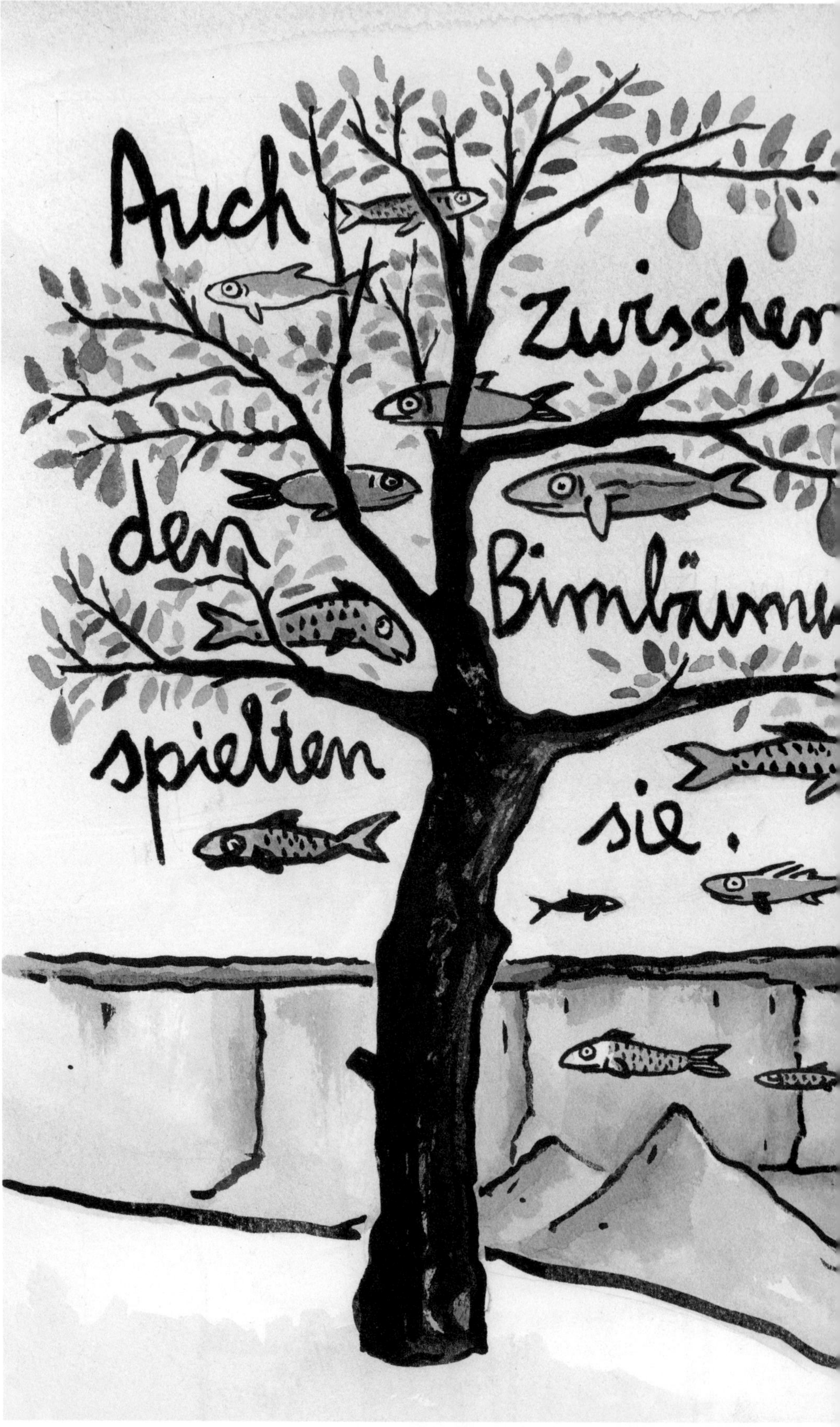
Auch
Zwischen
den
Birnbäume
spielten
sie.

ie meisten aber

hielten sich noch im
Wald,
iber den Schonungen

nd den Kiesgruben.

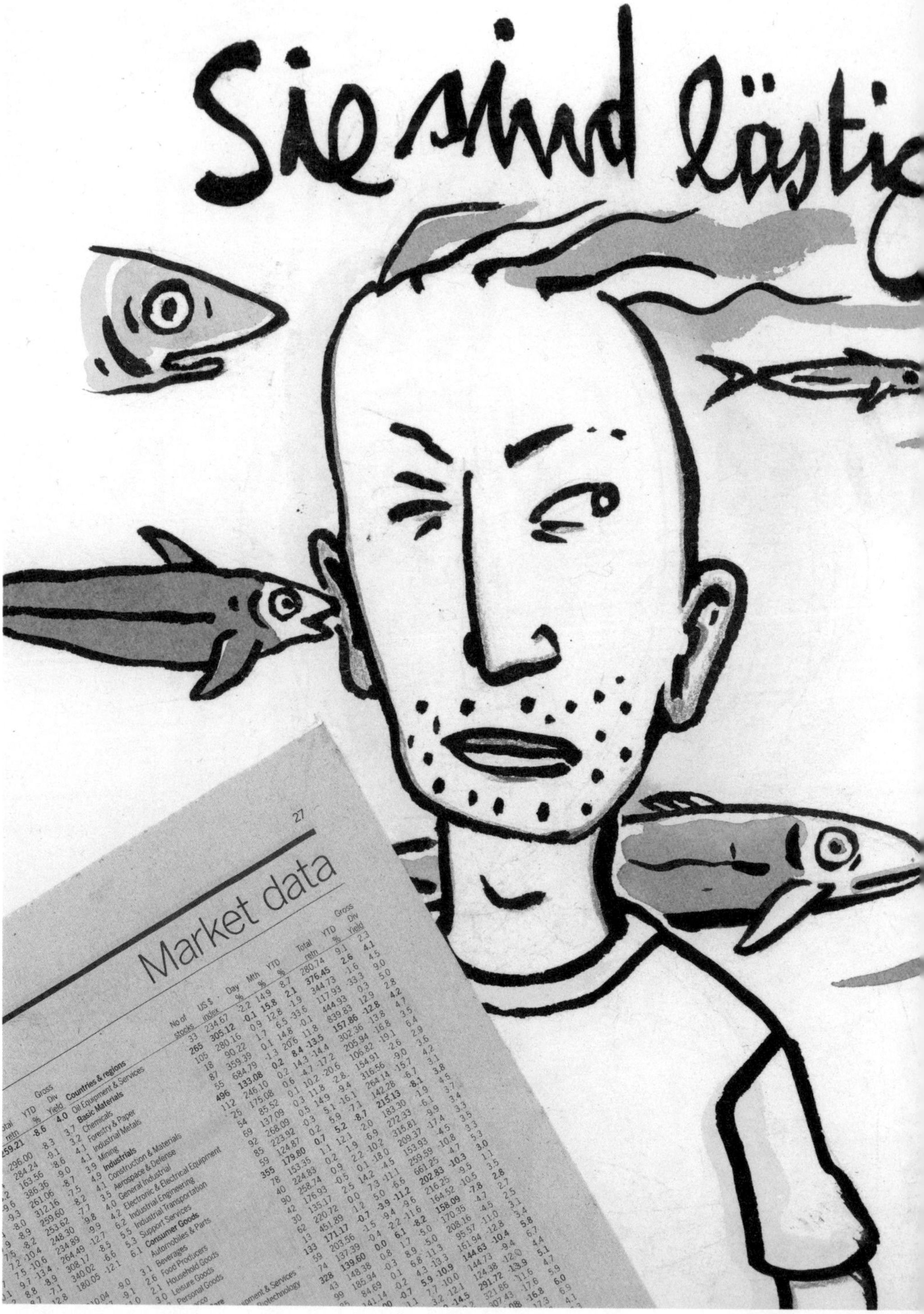
Sie sind lästig
27
Market data

ästiger aber sind
noch die Matrosen

auch höhere
Ränge, Steuerleute, Kapitäne),

die vielfach ans offene
Fenster kommen

Theodor Storm - Die Stadt

Am grauen Strand, am
Und seitab liegt die Stadt;
Der Nebel drückt die Dächer schwe[r]
Und durch die Stille braust das Me[er]
Eintönig um die Stadt.

rauen Meer

Es rauscht kein Wald, es schlägt im [...]
Kein Vogel ohn' Unterlaß;
Die Wandergans mit hartem Schre[...]
Nur fliegt in Herbstesnacht vorbe[...]

Au Strande weht das Gras.

Doch hängt mein ganzes He

an dir,
Du graue Stadt am Meer;
Der Jugend Zauber für und für
Ruht lächelnd doch auf dir, auf dir,
Du graue Stadt am Meer.

Der Seufzer

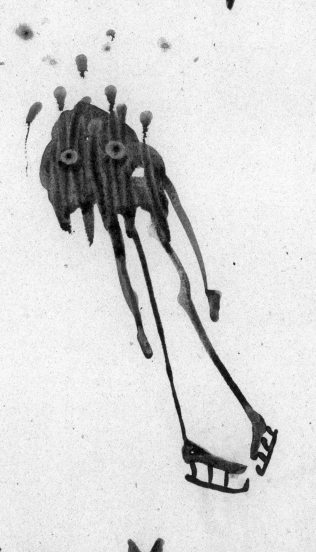

Christian Morgenstern

Ein Seufzer lief Schlittschu

auf nächtlichem Eis

und träumte von

Liebe und Freude.

Es war an dem Stadt-
wall, und schneeweiß

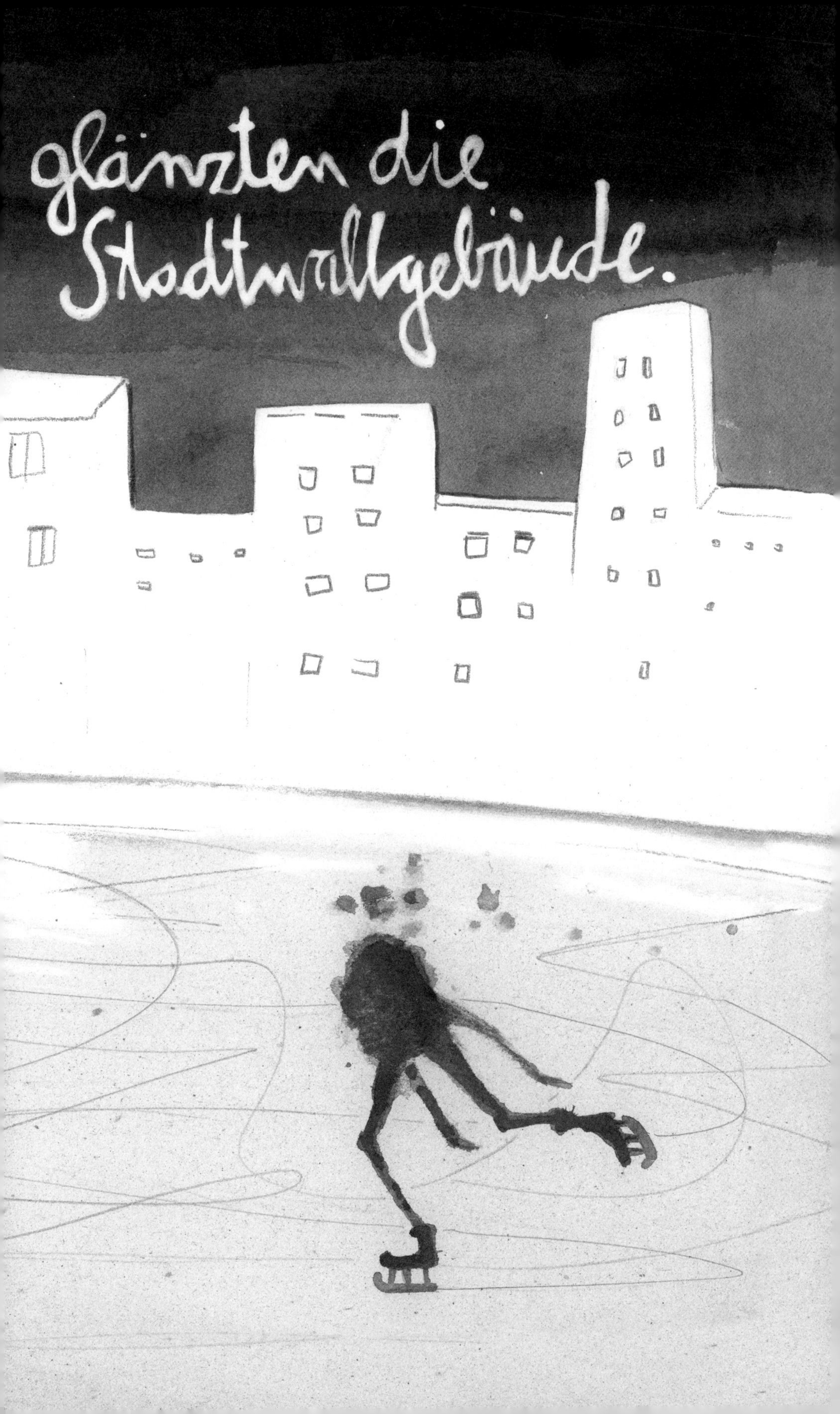
glänzten die Stadtwallgebäude.

Der Seufzer dacht' an ein Maide/ei

und
blieb
erglühend
stehen..

Da
schmolz
die Eisbahn
unter ihm
ein –

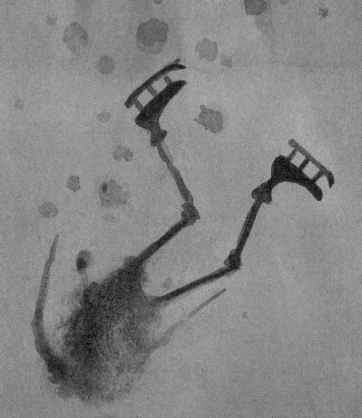

und er sank —

Rose Ausländer

nie

nie

werde ich
die Drossel erreichen

nie mit drei Lauten

umzugehn wissen
als wären sie
alles

Georg Heym
Die gefangenen Tiere

Mit schweren
Mit riesigen
Kommen sie
Gekrochen

Fellenbehangen,
Hörnern dumpf
gsam im Dunkel
auf zottigem
Rumpf.

Sie reiben si
Ihr Auge is
Und da
Wieder in

n den Stäben,
ie ein Stein.

kehren sie um
und tauchen

Schatten hinein-

AUF EINMAL SCHR

Gekreisch, und

Entsetzen und

ES ERSTIRB

TES VON FERN,
utes Gebrüll,
siger Schreck.
D WIRD STILL.

DOCH VOR DEN UFERN SPRINGE
REIHER FLACKEND UND SCHWACH
GESPENSTISCH MIT MAGEREN FÜSSEN
UNTER DER BÄUME DACH

WIE GESTORBENE WOLLEN
INS HAUS DER LEBENDIGEN EIN.
ABER ALLES IST ZU, UND SIE MÜSSEN
WEINEN IM STURME ALLEIN.

Günter Kunert
Den Fischen das Fliegen

Den Fischen das Fliegen
Beigebracht.
Unzufrieden dann

Sie getreten wegendes Fehlenden Gesanges.

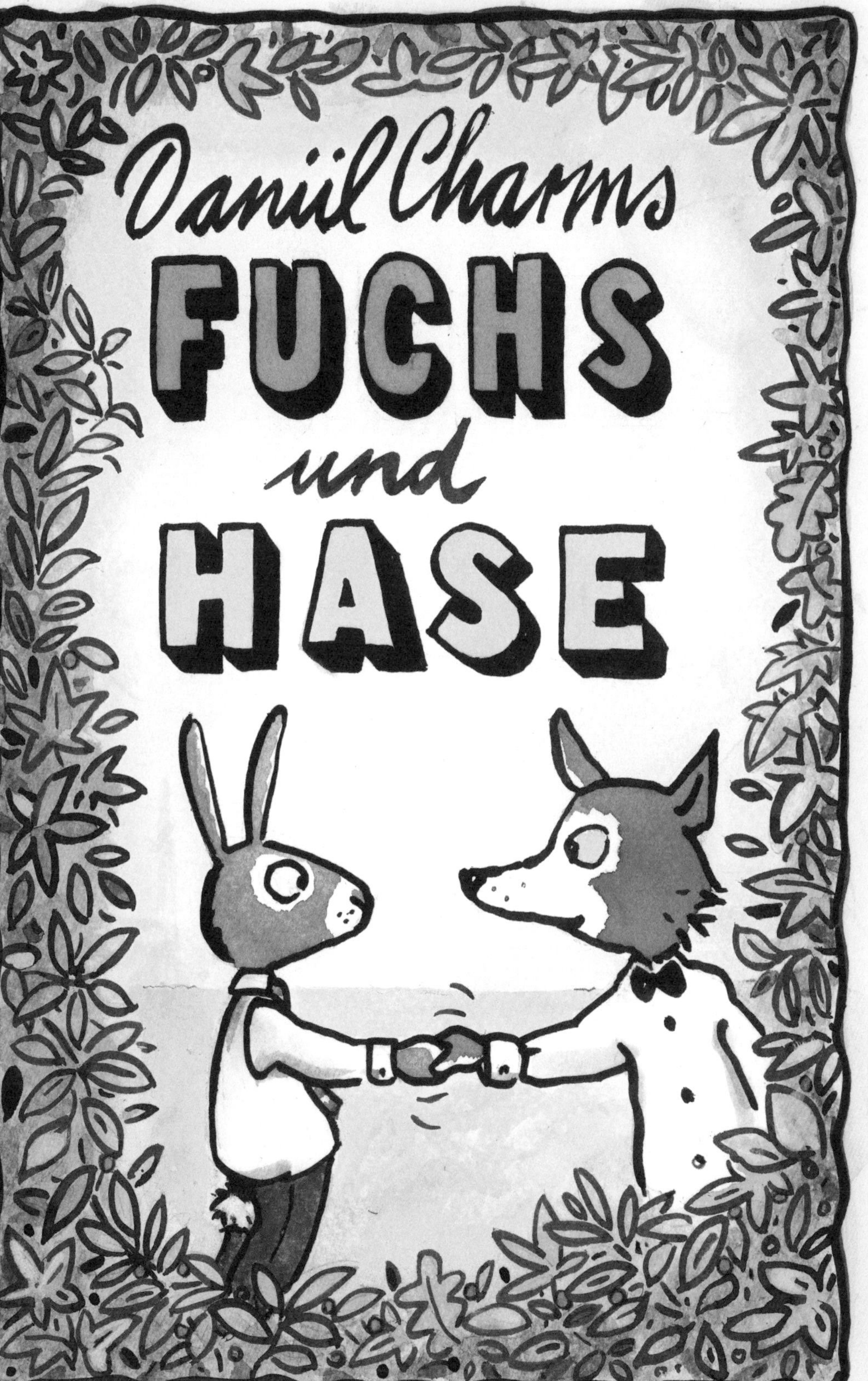
Daniil Charms
FUCHS
und
HASE

Es waren einmal 2 Freunde·

HASE GRAUBLUM & ROTLUNT, DER FUCHS

DIE HATTEN SICH JEDER EIN HAUS GEBAUT

UND

BESUCHTEN EINANDER IMMERZU.

KAM DER FUCHS EINMAL NICHT,

LIEF DER HASE SOGLEICH ZU IHM

UND RIEF:

WAS IST LOS, ROTLUNT?

UND BLIEB
DER HASE
EINMAL
AUS,

KAM DER FUCHS ZUM HASEN GERANN

UND
RIEF:

GRAUBLUM, ÜBER STEIN UND STOPPELN,

SIEHT MAN FLUGS ZUM FUCHSBAU HOPPELN.

FREUND! LASS EIN MICH!

DOCH DA RUFT'S:

WER KLOPFT DA NOCH?

DENKT DER
HASE:

ROTLUNT, ÜBER RITZ UND RILLE,

KOMMT GESCHNÜRT ZUR HASENVILLA.

FREUND! LASS EIN MICH!

POCH POCH POCH

KLOPFT DAS FÜCHSLEIN FRÖHLICH-

ROTLUNT! BIST DU NICHT GESCHEIT? ICH SCHLAFE NOCH! DU KOMMST ZU ZEITIG!

DOCH:

DICKE FREUNDE WARN DIE BEIDEN! KONNTEN SICH NUN NICHT MEHR LEIDEN.

Theodor Storm
Meeresstrand

Ans Haff nun fliegt die Möwe,
Und Dämmrung bricht herei

Über die feuchten Watten
spiegelt der Abendschein.

Graues Geflügel huschet
Neben dem Wasser her;
Wie Träume liegen die Inseln
Im Nebel auf dem Meer.

Ich höre des gärenden Schlamm

Geheimnisvollen Ton,

Einsames Vogelrufen –
So war es immer schon.

Noch einmal schauert leise
Und schweiget dann der Wind;
Vernehmlich werden die Stimmen,
die über der Tiefe sind.

Paul Zech
Die Häuser haben Augen aufgetan

Am Abend stehn
und mauerhart
gehetzter Stunden
gekühlten Ja

inge nicht mehr blind
n dem Darüberspülen
ind bringt von den Mühlen
nd geisterhaftes
Blau.

Die Häuser haben
Stern unter Sternen
die Brücken tauche
und schwimmen in

ugen aufgetan,
st die Erde wieder,
n das Flußbett nieder
et Tiefe Kahn an Kahn.

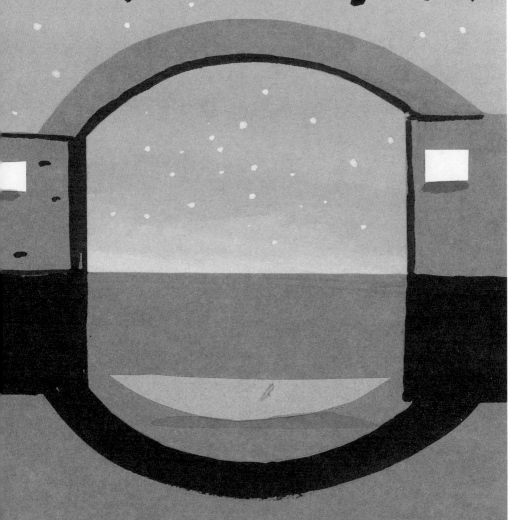

Gestalten wachsen gro
die Wipfel wehen fo
und Täler werfe

us jedem Strauch,
ie kröget Rauch
Berge ab, die lange
drückten.

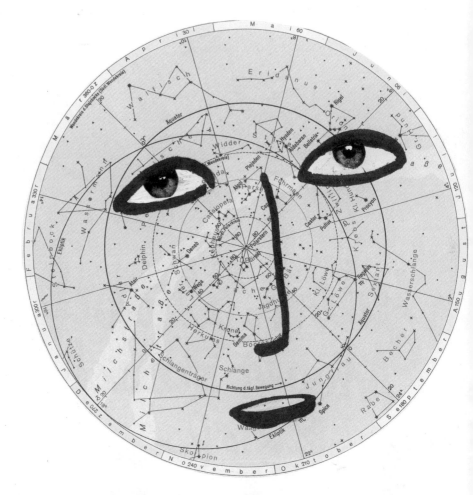

Die Menschen aber
Gesichtern in der
und sind wie Frücht

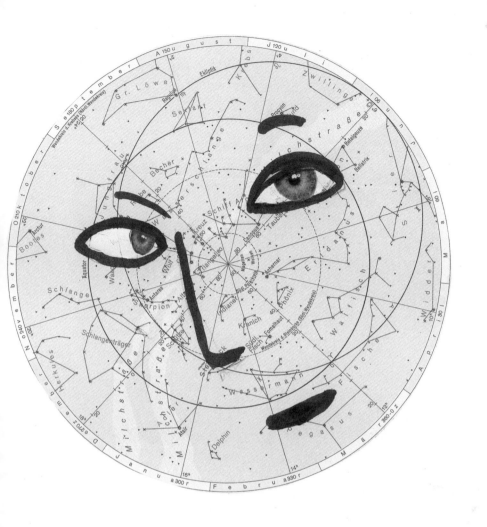

staunen mit entrückten
sterne Silberschwall
reif und süß zum Fall.

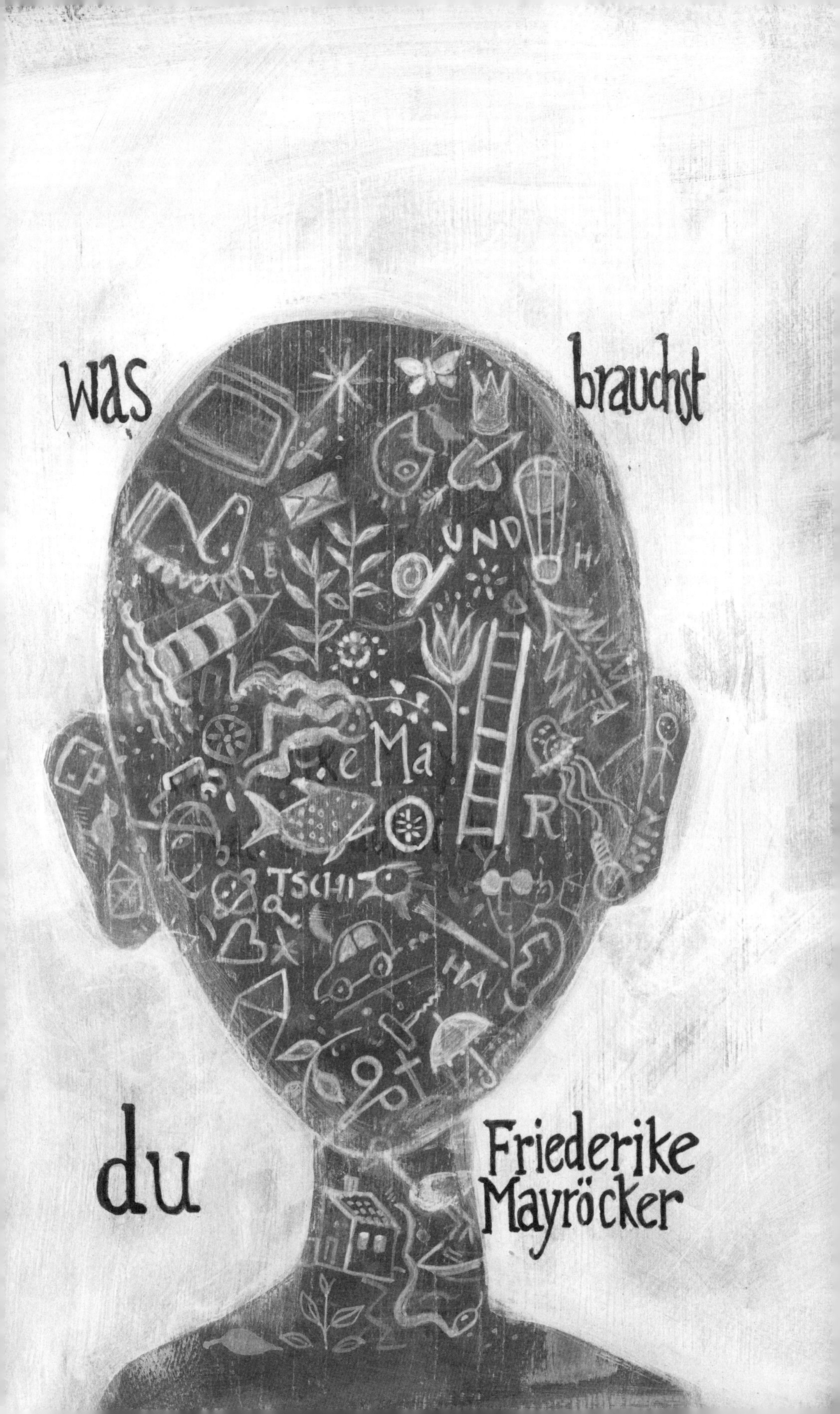
was
brauchst
du
Friederike
Mayröcker
UND
TSCHI
HA

Was brauchst du? einen Baum ein Haus zu
ermessen wie groß wie klein das Leben als Mensch
wie groß wie klein wenn du aufblickst zur Kron
dich verlierst in grüner üppiger Schönheit

wie groß wie klein bedenkst du wie kurz
dein Leben vergleichst du es mit dem Leben
der Bäume

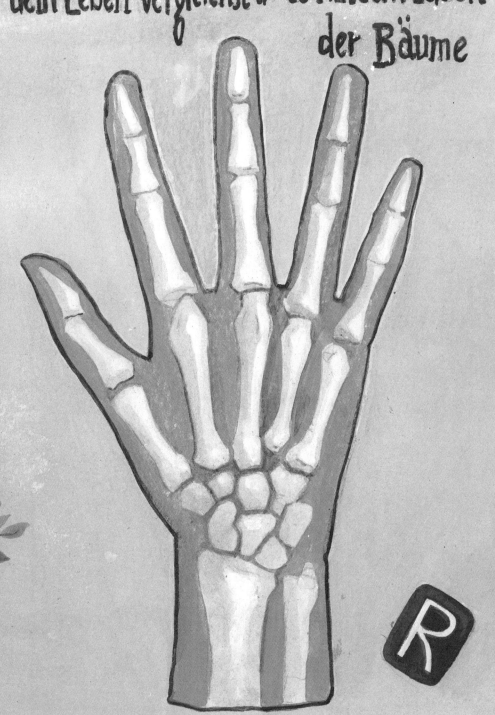

u brauchst einen Baum du brauchst ein Haus
Keines für dich allein nur einen Winkel ein Dach
zu sitzen zu denken zu schlafen zu träumen
u schreiben zu schweigen zu sehen den Freund
die Gestirne das Gras die Blume den Himmel

Daniïl Charms
Nacht

Falken nicken, Vögel nicken.
Und im Gras die vielen Mücken
in diversen Positionen.
Und am Fluß die vielen Brücken.

Schafe auch. Auf seine Art
nickt ein Sträuchlein jung und zart.
Und Hansjürgen Schimmelpfennig
nickt mit steil gesträubtem Bart.

FRANZ KAFKA

Kleine Fabel

die Welt wird
enger
mit jedem
Tag.

Zuerst war sie so breit, dass ich Angs hatte.

ich lief
weiter...

und war
glücklich
dass ich

---

endlich
rechts und
links in

der Ferne

Mauern sah,

aber diese
langen
Mauern
eilen so
schnell
aufein-
ander zu

dass ich
schon im
letzten
Zimmer
bin, und
dort
im Winkel

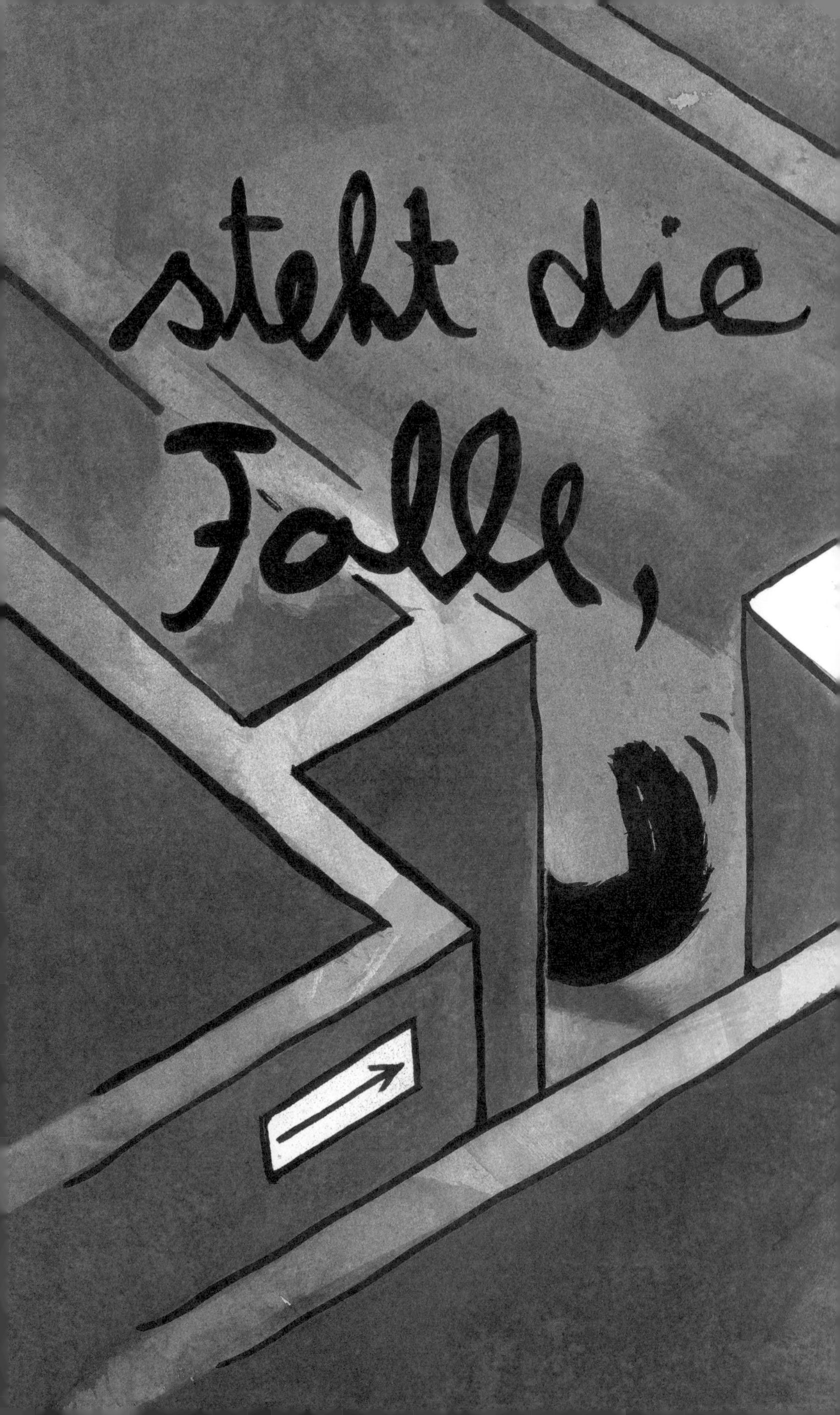
steht die
Falle,

in die ich
laufe."

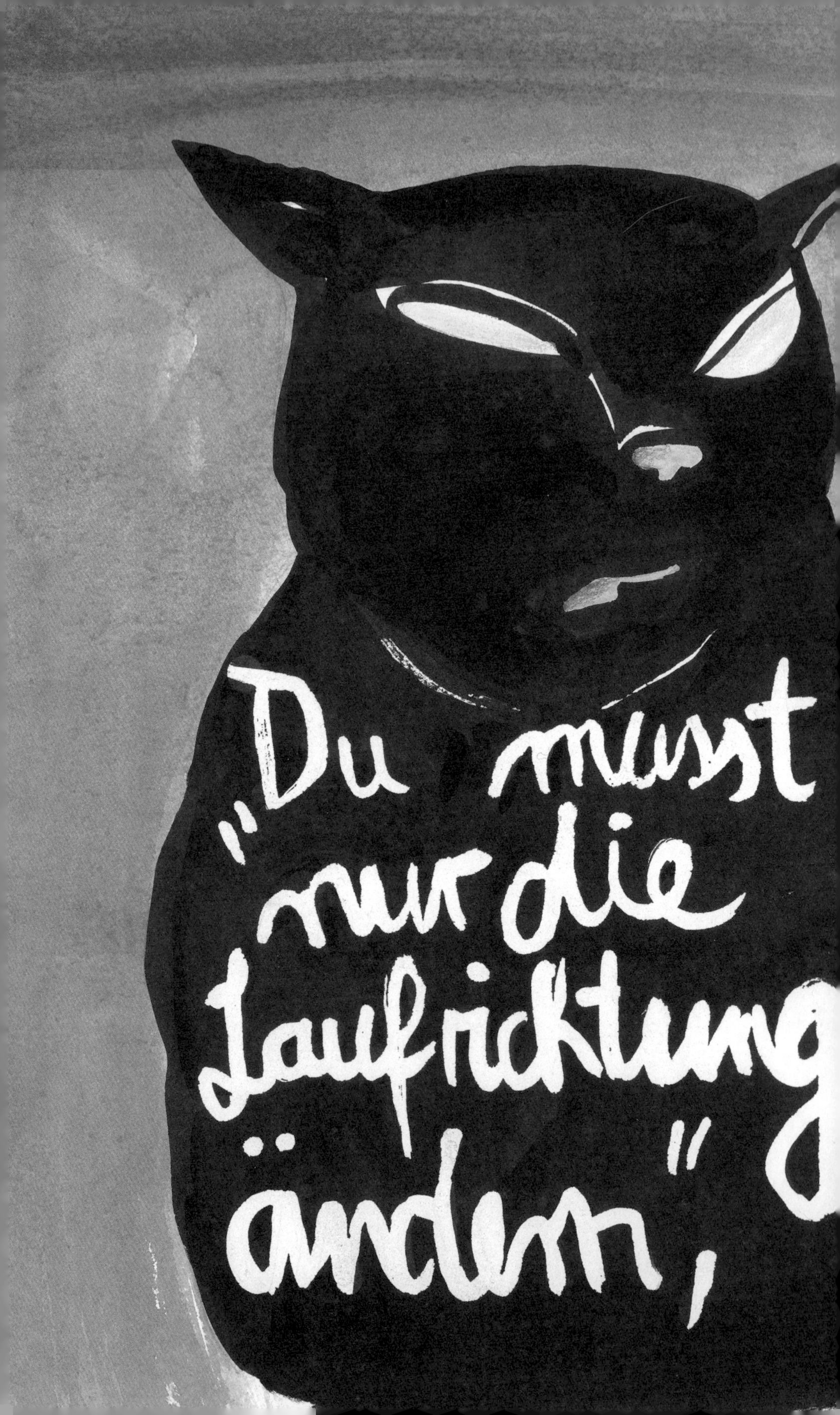
„Du musst
nur die
Laufrichtung
ändern",

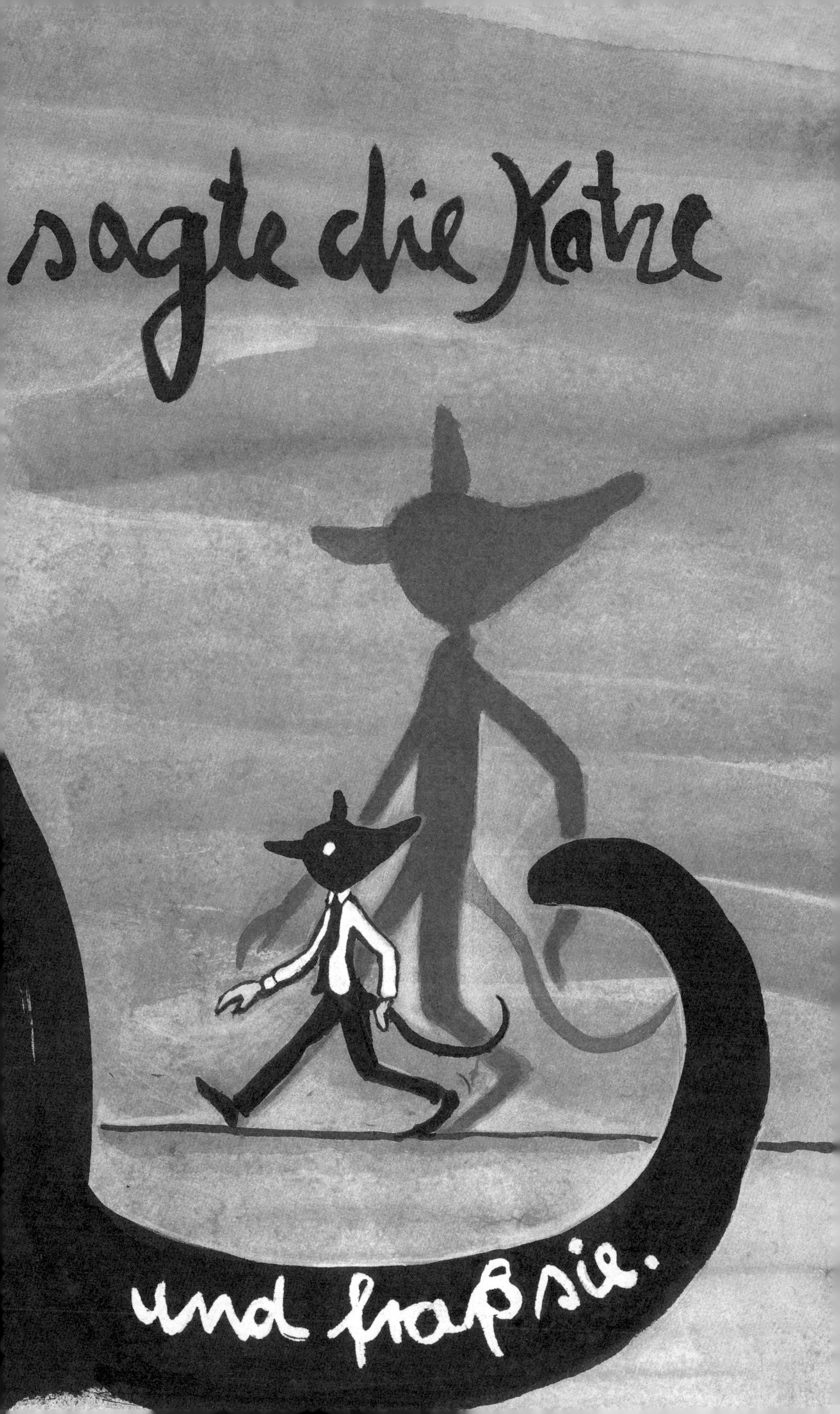
sagte die Katze
und fraß sie.

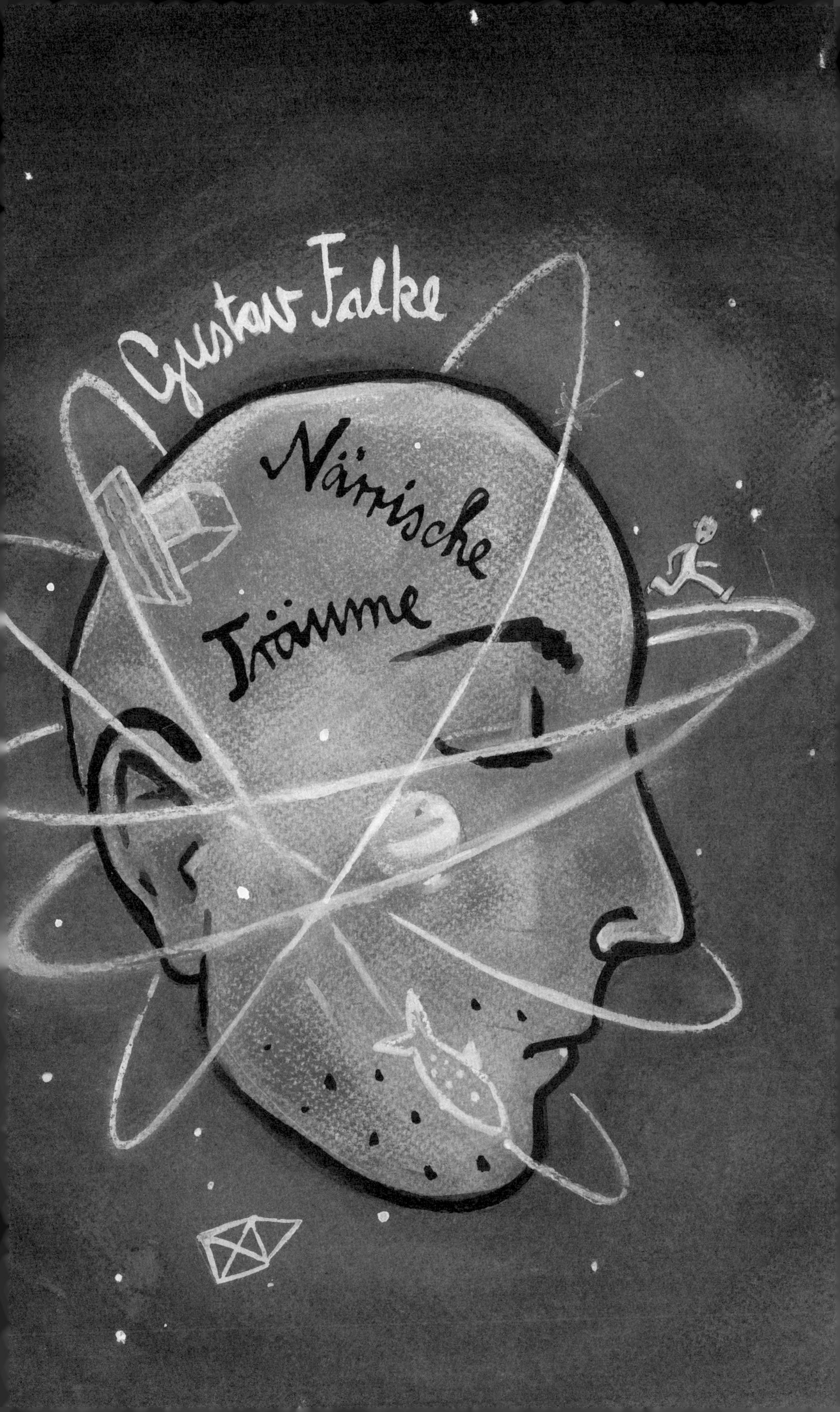
Gustav Falke
Närrische
Träume

Heute nacht träumte mir, ich hie

den Mond in der Han

e eine große, gelbe Kegelkugel
nd schob ihn ins Land,
ls gälte es alle Neune.

Er warf einen Wald um,
eine alte Scheun
zwei Kirchen

nitsamt den Küstern , o weh,
und rollte in die See.

Heute nacht träumte mir, ich warf
den Mond ins Meer.
Die Fische all erschraken, und die Wellen
spritzten umher
und löschten alle Sterne...

Und eine Stimme, ganz aus der Ferne,

— schallt: Wer pustet mir mein Licht aus?
Jetzt ist's dunkel im Haus.

NOAH

Heute nacht träumte mir, es wa
rabenfinster rings.
Da kam was leise auf mich zugegang
wie auf Zehen ging's.

Da wollt ich mich verstecken,
stolperte über den Wald, über die Scheune vor Schrecken,
über die Kirchen mitsamt den Küstern, o weh,
und fiel in die See.

Heute nacht träumte mir, ich sei
der Mond im Meer.

Die Fische alle glotzten und standen
im Kreis umher.

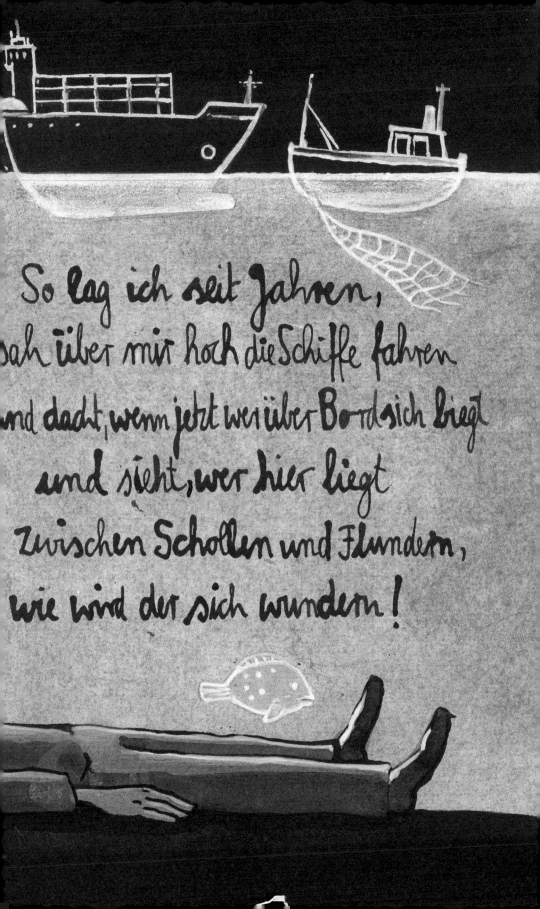

So lag ich seit Jahren,
sah über mir hoch die Schiffe fahren
und dacht, wenn jetzt wer über Bord sich biegt
und sieht, wer hier liegt
zwischen Schollen und Flundern,
wie wird der sich wundern!

Brüder Grimm

Der goldene Schlüssel

Zur
Winterszeit,
als einmal
eintiefer
Schnee
lag,

musste ein
armer Junge
hinausgehen
und Holz
auf einem
Schlitten
holen.

Wie er es nun zusammen-
gesucht und aufgeladen
hatte, wollte
er, weil er so
erfroren war,
noch nicht
nach Haus
gehen,

sondern erst Feuer
anmachen
und sich
ein bisschen
wärmen.
Da schaffte
er den
Schneeweg

und wie er so
den Erdboden
aufräumte,

fand er einen
kleinen
goldenen
Schlüssel.

Nun glaubte er,
wo der Schlüssel
wäre, müsste
auch das
Schloss da-
zu sein,

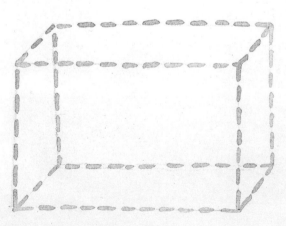

grub in der
Erde und
fand ein
eisernes
Kästchen.

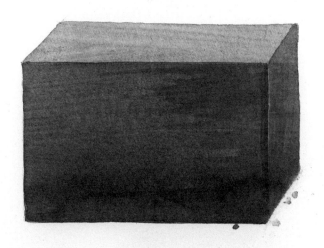

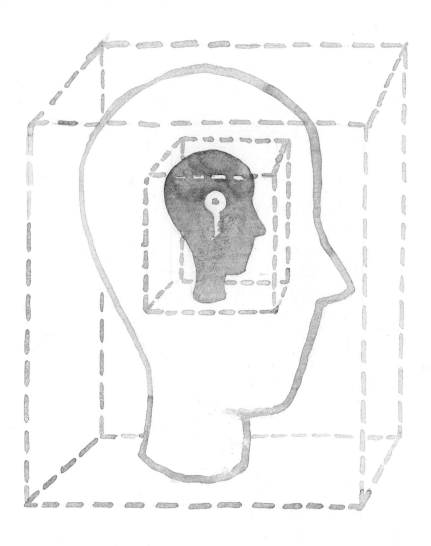

"Wenn der Schlüssel nur passt!", dachte er. "Es sind gewiss kostbare Sachen in dem Kästchen".

Er suchte,
aber es war
kein
Schlüsselloch
da,

endlich ent-
deckte er
eins, aber
so klein,
dass man es
kaum sehn konnte.

Er probierte,
und der
Schlüssel
passte
glücklich.

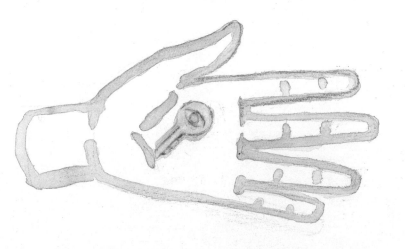

Da drehte
er einmal
herum, und
nun müssen
wir warten,
bis er
vollends
aufgeschlossen

und den
Deckel auf-
gemacht hat
dann
werden wir
erfahren,
was für

wunderbare
Sachen in
dem Kästchen
lagen.

Originaltexte

Daniil Charms
DIE VIERBEINIGE KRÄHE

Es war einmal eine Krähe, die hatte vier Beine. Sie hatte eigentlich sogar fünf Beine, aber darüber lohnt nicht zu reden.

Einmal hatte sich die vierbeinige Krähe Kaffee gekauft und dachte:

»So, ich habe mir Kaffee gekauft, aber was mache ich jetzt damit?«

Da kam unglücklicherweise ein Fuchs des Wegs. Er sah die Krähe und rief ihr zu:

– He, – ruft er, – du Krähe!

Und die Krähe ruft zurück:

– Selber Krähe!

Ruft der Fuchs zurück:

– Und du, Krähe, bist ein Schwein!

Da verschüttete die Krähe vor Ärger den ganzen Kaffee. Und der Fuchs lief davon. Die Krähe aber kletterte zur Erde hinab und ging auf ihren vier, genauer, auf ihren fünf Beinen in ihr armseliges Haus.

James Krüss
DER GARTEN DES HERRN MING

Im stillen Gartenreiche
Des alten Gärtners Ming,
Da schwimmt in einem Teiche
Ein Wasserrosending.

Den alten Ming in China
Entzückt sie ungemein.
Er nennt sie Catharina,
Chinesisch: Ca-ta-rain.

Mit einer Pluderhose
Und sehr verliebtem Sinn
Hockt er sich bei der Rose
Am Rand des Teiches hin.

Er singt ein Lied und fächelt
Der Rose Kühlung zu.
Die Rose aber lächelt
Nur für den Goldfisch Wu.

Sie liebt das goldne Fischchen,
Das oft vorüberschießt
Und auf den Blättertischen
Den Rosenduft genießt.

Doch Wu, der Goldfisch-Knabe,
Der lockre Bube, gibt
Ihr weder Gruß noch Gabe,
Weil er ein Hühnchen liebt.

Er liebt Schu-Schu, das kleine
Goldrote Hühnerding.
Jedoch Schu-Schu, die Feine,
Liebt nur den Gärtner Ming.

So liebt Herr Ming Cathrina,
Cathrina liebt den Wu,
Wu liebt Schu-Schu aus China,
Den Gärtner liebt Schu-Schu.

Man liebt sich sanft und leise.
Doch keiner liebt zurück.
Und niemand in dem Kreise
Hat in der Liebe Glück.

Sie leben und sie warten,
Sind traurig und verliebt
In diesem kleinen Garten,
Von dem es viele gibt.

Joachim Ringelnatz
ARM KRÄUTCHEN

Ein Sauerampfer auf dem Damm
Stand zwischen Bahngeleisen,
Machte vor jedem D-Zug stramm,
Sah viele Menschen reisen

Und stand verstaubt und schluckte Qualm
Schwindsüchtig und verloren,
Ein armes Kraut, ein schwacher Halm,
Mit Augen, Herz und Ohren.

Sah Züge schwinden, Züge nahn.
Der arme Sauerampfer
Sah Eisenbahn um Eisenbahn,
Sah niemals einen Dampfer.

Günter Eich
WO ICH WOHNE

Als ich das Fenster öffnete,
schwammen Fische ins Zimmer,
Heringe. Es schien
eben ein Schwarm vorüberzuziehen.
Auch zwischen den Birnbäumen spielten sie.
Die meisten aber
hielten sich noch im Wald,
über den Schonungen und den Kiesgruben.

Sie sind lästig. Lästiger aber sind noch
die Matrosen
(auch höhere Ränge, Steuerleute, Kapitäne),
die vielfach ans offene Fenster kommen
und um Feuer bitten für ihren schlechten Tabak.

Ich will ausziehen.

Theodor Storm
DIE STADT

Am grauen Strand, am grauen Meer
Und seitab liegt die Stadt;
Der Nebel drückt die Dächer schwer,
Und durch die Stille braust das Meer
Eintönig um die Stadt.

Es rauscht kein Wald, es schlägt im Mai
Kein Vogel ohn' Unterlaß;
Die Wandergans mit hartem Schrei
Nur fliegt in Herbstesnacht vorbei,
Am Strande weht das Gras.

Doch hängt mein ganzes Herz an dir,
Du graue Stadt am Meer;
Der Jugend Zauber für und für
Ruht lächelnd doch auf dir, auf dir,
Du graue Stadt am Meer.

Christian Morgenstern
DER SEUFZER

Ein Seufzer lief Schlittschuh auf nächtlichem Eis
   und träumte von Liebe und Freude.
Es war an dem Stadtwall, und schneeweiß
   glänzten die Stadtwallgebäude.

Der Seufzer dacht' an ein Maidelein
   und blieb erglühend stehen.
Da schmolz die Eisbahn unter ihm ein –
   und er sank – und ward nimmer gesehen.

Rose Ausländer
NIE

Nie
werde ich
die Drossel erreichen

nie mit drei Lauten
umzugehn wissen
als wären sie
alles

Georg Heym
DIE GEFANGENEN TIERE

Mit schweren Fellen behangen,
Mit riesigen Hörnern dumpf
Kommen sie langsam im Dunkel
Gekrochen auf zottigem Rumpf.

Sie reiben sich an den Stäben,
Ihr Auge ist wie ein Stein.
Und dann kehren sie um und tauchen
Wieder in Schatten hinein.

[Auf einmal schreit es von fern,
Gekreisch, und lautes Gebrüll,
Entsetzen und riesiger Schrecken.
Es erstirbt und wird still.

›Doch vor‹ den Ufern springen
Reiher flackend und schwach
Gespenstisch mit mageren Füßen
Unter der Bäume Dach

Wie Gestorbene wollen
Ins Haus der Lebendigen ein.
Aber alles ist zu, und sie müssen
Weinen im Sturme allein.]

Günter Kunert
DEN FISCHEN DAS FLIEGEN

Den Fischen das Fliegen
Beigebracht. Unzufrieden dann
Sie getreten wegen des
Fehlenden Gesanges.

Daniil Charms
FUCHS UND HASE

Es waren einmal zwei Freunde: Hase Graublum und Rotlunt,
der Fuchs.

Die hatten sich jeder ein Haus gebaut und besuchten einander immerzu.

Kam der Fuchs einmal nicht, lief der Hase sogleich zu ihm
und rief: »Was ist los, Rotlunt?«

Und blieb der Hase einmal aus, kam der Fuchs zum Hasen
gerannt und rief: »Graublum? Ist was mit dir?«

Graublum, über Stein und Stoppeln,
sieht man flugs zum Fuchsbau hoppeln.

»Freund! Lass ein mich!« – poch, poch, poch …
Doch da ruft's: »Wer klopft da noch?

Weißt du nicht, wie spät es ist?
Geh nach Hause, Terrorist!«

Denkt der Hase: Keine Bange!
Was du kannst, kann ich schon lange! …

Rotlunt, über Ritz und Rille,
kommt geschnürt zur Hasenvilla.

»Freund! Lass ein mich!« – poch, poch, poch,
klopft das Füchslein fröhlich – doch:

»Rotlunt! Bist du nicht gescheit? Ich
schlafe noch! Du kommst zu zeitig!«

Dicke Freunde warn die beiden!
Konnten sich nun nicht mehr leiden.

Theodor Storm
MEERESSTRAND

An's Haff nun fliegt die Möwe,
Und Dämm'rung bricht herein;
Über die feuchten Watten
Spiegelt der Abendschein.

Graues Geflügel huschet
Neben dem Wasser her;
Wie Träume liegen die Inseln
Im Nebel auf dem Meer.

Ich höre des gärenden Schlammes
Geheimnisvollen Ton,
Einsames Vogelrufen –
So war es immer schon.

Noch einmal schauert leise
Und schweiget dann der Wind;
Vernehmlich werden die Stimmen,
Die über der Tiefe sind.

Paul Zech
TRAUM VOM BALKON

I

Vor meinem Fenster, weit ins Blau gerückt,
Liegt Sommerlandschaft wie ein Spielzeug hingebreitet;
O Riesenspielzeug, das mich schmeichlerisch verleitet
Das Stubendumpfe abzutun und alles, was mich drückt.

Schon fühl ich, wie mir immer klarer wird
Das fahl umsilberte Geheimnis jener Dinge,
Die eingesponnen sind im engen Ringe
Der Fläche, bis ich kühl und unbeirrt

Sie einzeln prüfend in den Händen wiege.
Und wie es niedergleitet aus der Hand,
Ärmlich und blind wie abgegriffner Tand,

Weiß ich –: daß nur mein Blut lebendig rinnt
Und daß ich Sonne bin und wie der Wind
Mich in das Innerste der Landschaft schmiege.

II

Manchmal des Mittags vom Schindanger her
Nachtäugige Totenvögel rauschen.
Ein Schatten verdunkelt das Ährenmeer
Und die Bäume furchtsam rauschen.

Das helle Dorf fährt hart aus dem Schlaf …
Wispern und Wimmern bricht durch das Fenster.
Und der Wind, der mit den Vögeln zusammentraf,
Ballt sich wie ein Gewitter über dem Fenster.

Und ein Schnitter tritt aus dem Haus
Und die Sense ist zackig zerbrochen.
Die schwarzen Vögel im Windgebraus
Stürzen herab wie gebrochen.

Und sie wittern im Garten ein Aas,
Die spitzen Schnäbel zerwühlen die Erde …
Drei rote Rosen tropfen ins Gras
Und der Nebel dampft breit aus der Erde.

III

Noch dampfen die besprengten Asphaltflächen,
Noch tröpfelt Silber von den Leitungsdrähten;
Und Schmelzflut aus den hagelübersäten
Dachrinnen donnert in erregten Bächen.

Die Fenster aber an den langen Fronten
Sind breit geweitet: Grasduft zu empfangen
Und Psalmen, die sich von den Wipfeln schwangen,
Wo schwarze Amseln ihr Gefieder sonnten.

Die Kinder, die die Mutterhände fast zerbrachen,
Als Blitze grell das Zimmer-Grau zerstachen:
Tun auf den Straßen ungeheuer ausgelassen.

Aus allen Läden drängen sich die blassen
Verkäuferinnen auf die Promenaden,
Wo Bänke schön bemalt und Rosenwunder laden.

IV

Am Abend stehn die Dinge nicht mehr blind
Und mauerhart in dem Darüberspülen
Gehetzter Stunden; Wind bringt von den Mühlen
Gekühlten Tau und geisterhaftes Blau.

Die Häuser haben Augen aufgetan,
Stern unter Sternen ist die Erde wieder,
Die Brücken tauchen in das Flußbett nieder
Und schwimmen in der Tiefe Kahn an Kahn.

Gestalten wachsen groß aus jedem Strauch,
Die Wipfel wehen fort wie träger Rauch
Und Täler werfen Berge ab, die lange drückten.

Die Menschen aber staunen mit entrückten
Gesichtern in der Sterne Silberschwall
Und sind wie Früchte reif und süß zum Fall.

Friederike Mayröcker
WAS BRAUCHST DU

was brauchst du? einen Baum ein Haus zu
ermessen wie grosz wie klein das Leben als Mensch
wie grosz wie klein wenn du aufblickst zur Krone
dich verlierst in grüner üppiger Schönheit
wie grosz wie klein bedenkst du wie kurz
dein Leben vergleichst du es mit dem Leben der Bäume
du brauchst einen Baum du brauchst ein Haus
keines für dich allein nur einen Winkel ein Dach
zu sitzen zu denken zu schlafen zu träumen
zu schreiben zu schweigen zu sehen den Freund
die Gestirne das Gras die Blume den Himmel

für Heinz Lunzer

Daniil Charms
NACHT

Falken nicken, Vögel nicken.
Und im Gras die vielen Mücken
in diversen Positionen.
Und am Fluß die vielen Brücken.

Schafe auch. Auf seine Art
nickt ein Sträuchlein jung und zart.
Und Hansjürgen Schimmelpfennig
nickt mit steil gesträubtem Bart.

Franz Kafka
KLEINE FABEL

»Ach«, sagte die Maus, »die Welt wird enger mit jedem Tag. Zuerst war sie so breit, dass ich Angst hatte, ich lief weiter und war glücklich, dass ich endlich rechts und links in der Ferne Mauern sah, aber diese langen Mauern eilen so schnell auf ein-ander zu, dass ich schon im letzten Zimmer bin, und dort im Winkel steht die Falle, in die ich laufe.« »Du musst nur die Laufrichtung ändern«, sagte die Katze und fraß sie.

Gustav Falke
NÄRRISCHE TRÄUME

Heute nacht träumte mir, ich hielt
den Mond in der Hand
wie eine große, gelbe Kegelkugel
und schob ihn ins Land,
als gälte es alle Neune.
Er warf einen Wald um, eine alte Scheune,
zwei Kirchen mitsamt den Küstern, o weh,
und rollte in die See.

Heute nacht träumte mir, ich warf
den Mond ins Meer.
Die Fische all erschraken, und die Wellen
spritzten umher
und löschten alle Sterne.
Und eine Stimme, ganz aus der Ferne,
schalt: Wer pustet mir mein Licht aus?
Jetzt ist's dunkel im Haus.

Heute nacht träumte mir, es war
rabenfinster rings.
Da kam was leise auf mich zugegangen,
wie auf Zehen ging's.
Da wollt ich mich verstecken,
stolperte über den Wald, über die Scheune vor Schrecken,
über die Kirchen mitsamt den Küstern, o weh,
und fiel in die See.

Heute nacht träumte mir, ich sei
der Mond im Meer.
Die Fische alle glotzten und standen
im Kreis umher.
So lag ich seit Jahren,
sah über mir hoch die Schiffe fahren
und dacht, wenn jetzt wer über Bord sich biegt
und sieht, wer hier liegt
zwischen Schollen und Flundern,
wie wird der sich wundern!

Brüder Grimm
DER GOLDENE SCHLÜSSEL

Zur Winterszeit, als einmal ein tiefer Schnee lag, musste ein armer Junge hinausgehen und Holz auf einem Schlitten holen. Wie er es nun zusammengesucht und aufgeladen hatte, wollte er, weil er so erfroren war, noch nicht nach Haus gehen, sondern erst Feuer anmachen und sich ein bisschen wärmen. Da scharrte er den Schnee weg, und wie er so den Erdboden aufräumte, fand er einen kleinen goldenen Schlüssel. Nun glaubte er, wo der Schlüssel wäre, müsste auch das Schloss dazu sein, grub in der Erde und fand ein eisernes Kästchen. »Wenn der Schlüssel nur passt!«, dachte er. »Es sind gewiss kostbare Sachen in dem Kästchen.« Er suchte, aber es war kein Schlüsselloch da, endlich entdeckte er eins, aber so klein, dass man es kaum sehen konnte. Er probierte, und der Schlüssel passte glücklich. Da drehte er einmal herum, und nun müssen wir warten, bis er vollends aufgeschlossen und den Deckel aufgemacht hat, dann werden wir erfahren, was für wunderbare Sachen in dem Kästchen lagen.

Autoren

Rose Ausländer

11. Mai 1901 bis 3. Januar 1988

Geboren in Czernowitz in der heutigen Ukraine, studierte sie dort Philosophie und emigrierte 1921 in die Vereinigten Staaten, wo sie Buchhalterin und Redakteurin war und mit dem literarischen Schreiben begann. Sie kehrte nach Czernowitz zurück, wurde dort während des Zweiten Weltkriegs als Jüdin verfolgt und konnte nach der Befreiung der Stadt durch die sowjetische Armee wieder nach New York ziehen. Sie veröffentlichte zahlreiche Lyrikbände, unter anderem gefördert durch Paul Celan. 1965 ließ sie sich in Düsseldorf nieder, wo sie bis zu ihrem Tod blieb.

Daniil Charms

30. Dezember 1905 bis 2. Februar 1942

Der Sohn eines Sparkassenrevisors und einer Aristokratin wuchs in St. Petersburg auf. Er studierte Elektrotechnik und Filmwissenschaft ohne Abschluss und arbeitete als Autor für Zeitschriften, die sich an junge Leser richteten. 1931 wurde er verhaftet und ein Jahr später freigelassen. 1941 kam er wieder in Haft. Er wurde für geisteskrank erklärt und starb während der Blockade Leningrads wahrscheinlich an Unterernährung.

Günter Eich

1. Februar 1907 bis 20. Dezember 1972

Eich wurde in Lebus im Oderbruch geboren. Zu den bekanntesten Arbeiten des Autors, der schon in den dreißiger Jahren für den Rundfunk arbeitete, zählen Hörspiele wie ›Träume‹, ›Geh nicht nach El Kuwehd‹ oder ›Das Jahr Lazertis‹. Eich war in zweiter Ehe mit der Schriftstellerin Ilse Aichinger verheiratet.

Gustav Falke

11. Januar 1853 bis 8. Februar 1916

Der Sohn eines Lübecker Kaufmanns machte eine Buch-
händlerlehre und wurde Klavierlehrer. Maßgeblich gefördert
von Detlev von Liliencron, publizierte Falke Romane, Lyrikbände und Kinderbücher sowie den autobiographischen
Band ›Die Stadt mit den goldenen Türmen‹.

Jacob und Wilhelm Grimm

4. Januar 1785 bis 20. September 1863 (Jacob)
24. Februar 1786 bis 16. Dezember 1859 (Wilhelm)

Die Brüder Grimm verbrachten die meiste Zeit ihres Lebens
in einer engen Arbeitsgemeinschaft. Sie erforschten die
Anfänge der deutschen Sprache und Literatur ebenso wie die
Mythologie oder das Rechtssystem der deutschen Stämme
und begründeten das ›Deutsche Wörterbuch‹. Am berühm-
testen wurden ihre ›Kinder- und Hausmärchen‹, die sie
lebenslang umarbeiteten und erweiterten. Das Märchen ›Der
goldene Schlüssel‹ steht seit dem zweiten Band der ersten
Auflage (1815) immer am Ende der Sammlung.

Georg Heym

30. Oktober 1887 bis 16. Januar 1912

Im Verlauf seines kurzen Lebens schrieb Georg Heym, der
in Würzburg, Jena und Berlin lustlos Jura studierte, eine
Reihe von expressionistischen Gedichten, Erzählungen,
Dramen, von denen die meisten Fragment geblieben sind,
sowie Tagebuchaufzeichnungen. Heym ertrank 1912, als
er einen im Eis der Havel eingebrochenen Freund retten
wollte. Ein großer Teil seines Werks wurde erst nach seinem
Tod publiziert.

FRANZ KAFKA

3. Juli 1883 bis 3. Juni 1924

Geboren als Sohn eines Prager Kaufmanns, absolvierte Kafka ein Jurastudium und arbeitete als Beamter in einer Versicherungsanstalt. Mit Romanen wie ›Der Process‹ oder ›Das Schloss‹ und einer Reihe von Erzählungen, die größtenteils – und entgegen Kafkas Wunsch – aus dem Nachlass publiziert worden sind, gehört er zu den einflussreichsten Schriftstellern des zwanzigsten Jahrhunderts.

JAMES KRÜSS

31. Mai 1926 bis 2. August 1997

Geboren auf Helgoland, das später der Schauplatz vieler seiner Romane wurde, erlebte Krüss die letzten Monate des Zweiten Weltkriegs als Soldat. Er ließ sich zum Lehrer ausbilden, arbeitete als Redakteur und wurde schließlich Schriftsteller. Unter seinen zahlreichen Kinderbüchern sind Klassiker wie ›Mein Urgroßvater und ich‹, ›Timm Thaler‹ oder ›Henriette Bimmelbahn‹.

GÜNTER KUNERT

* 6. März 1929

Als junger Autor nahmen sich in Ostberlin Brecht und Johannes R. Becher seiner an. Allerdings geriet Kunert schon bald mit der SED-Ideologie in Konflikt und verließ die DDR, nachdem er gegen die Ausbürgerung Wolf Biermanns protestiert hatte. Kunert publizierte zahlreiche Gedichtbände, Reportagen, Kurzgeschichten und Essays und trat auch als bildender Künstler in Erscheinung.

FRIEDERIKE MAYRÖCKER

*20. Dezember 1924

Die Wienerin wurde vor allem als Lyrikerin und als Autorin von Hörspielen bekannt, bei denen sie teilweise mit ihrem Lebensgefährten Ernst Jandl zusammenarbeitete. Ihre Sprache entwickelte sich dabei vom eher konventionellen Anfang hin zu einer großen Experimentierfreude. Mayröcker wurde vielfach ausgezeichnet und erhielt 2001 den Büchner-Preis.

CHRISTIAN MORGENSTERN

6. Mai 1871 bis 31. März 1914

Der Sohn des Malers Carl Ernst Morgenstern litt schon früh an Tuberkulose. Erste literarische Arbeiten entstanden zu Schulzeiten, später wirkte Morgenstern, der immer wieder zu Reisen nach Norwegen, Italien oder Österreich aufbrach, als Übersetzer und Lektor. Er publizierte vor allem Gedichte, darunter 1905 die ›Galgenlieder‹.

JOACHIM RINGELNATZ

7. August 1883 bis 17. November 1934

Hans Gustav Bötticher, der sich als Dichter Joachim Ringelnatz nannte, arbeitete als Seemann, Sänger, Maler und schließlich erfolgreich als Kabarettist. Er verfasste Gedichte, Kinderbücher und kleine Prosa. Im Nationalsozialismus mit Auftrittsverbot belegt, starb er mit 51 Jahren an Tuberkulose.

THEODOR STORM

14. September 1817 bis 4. Juli 1888

Geboren in Husum, studierte Storm Jura und ließ sich als Rechtsanwalt in seiner Heimatstadt nieder. Er ging aus politischen Gründen ins Exil und kehrte nach dem Deutsch-Dänischen Krieg 1864 als Landvogt nach Husum zurück. Storm verfasste zahlreiche Gedichte, Märchen und Novellen wie ›Aquis submersus‹ und ›Der Schimmelreiter‹.

PAUL ZECH

19. Februar 1881 bis 7. September 1946

Geboren im westpreußischen Briesen bei Thorn als Sohn eines Seilers, ging Zech nach der Schulzeit ins Ruhrgebiet, wo er nach eigenen Angaben als Lagerist und Konditor arbeitete und neben Gedichten auch Beiträge für Zeitungen verfasste. Einige seiner Texte erschienen in bedeutenden Anthologien des Expressionismus. Unter den Gedichten, die Zech als Übersetzungen etwa nach François Villon herausgab, sind zahlreiche, die von ihm selbst stammen oder äußerst frei übertragen wurden.

Quellenverzeichnis

Ausländer, Rose: NIE. Aus: Gedichte. Frankfurt am Main: S. Fischer Verlag 2001.

Charms, Daniil: DIE VIERBEINIGE KRÄHE. Aus: Alle Fälle. Das unvollständige Gesamtwerk in zeitlicher Folge. Herausgegeben und übersetzt von Peter Urban. Zürich: Haffmans Verlag 1995.

Charms, Daniil: FUCHS UND HASE. Aus: Seltsame Seiten. Ausgewählte Gedichte und Geschichten für Kinder. Berlin: Bloomsbury 2009.

Charms, Daniil: NACHT. Aus: Seltsame Seiten. Ausgewählte Gedichte und Geschichten für Kinder. Berlin: Bloomsbury 2009.

Eich, Günter: WO ICH WOHNE. Aus: Gesammelte Werke in vier Bänden. Revidierte Ausgabe. Band I. Vieregg, Axel (Hrsg.): Die Gedichte. Die Maulwürfe. Frankfurt am Main: Suhrkamp Verlag 1973; 1991.

Falke, Gustav: NÄRRISCHE TRÄUME. Aus: Der große Conrady: Das Buch deutscher Gedichte von den Anfängen bis zur Gegenwart. Ausgew. und hrsg. von Karl Otto Conrady. Erw. Neuausgabe. 1. Auflage. Düsseldorf: Artemis und Winkler 2008.

Grimm, Brüder: DER GOLDENE SCHLÜSSEL. Aus: Kinder- und Hausmärchen. 2. Auflage. Frankfurt am Main: Fischer Taschenbuch Verlag 2012.

Heym, Georg: DIE GEFANGENEN TIERE. Aus: Das Werk. Frankfurt am Main: Zweitausendeins 2005.

Kafka, Franz: KLEINE FABEL. Aus: Die Erzählungen. Originalfassung. Frankfurt am Main: Fischer Taschenbuch Verlag 1996.

Krüss, James: DER GARTEN DES HERRN MING. Aus: Der wohltemperierte Leierkasten. 12 mal 12 Gedichte für Kinder, Eltern und andere Leute. Gütersloh: Sigbert Mohn Verlag 1961.

Kunert, Günter: DEN FISCHEN DAS FLIEGEN. Aus: So und nicht anders. Ausgewählte und neue Gedichte. München/Wien: Carl Hanser Verlag 2002.

Mayröcker, Friederike: WAS BRAUCHST DU. Aus: Gesammelte Gedichte. 1939–2003. Herausgegeben von Marcel Beyer. Frankfurt am Main: Suhrkamp Verlag 2004.

Morgenstern, Christian: DER SEUFZER. Aus: Galgenlieder. Gedichte. Frankfurt am Main: Fischer Taschenbuch Verlag 2008.

Ringelnatz, Joachim: ARM KRÄUTCHEN. Aus: Das große Lesebuch. Frankfurt am Main: S. Fischer Verlag 2012.

Storm, Theodor: DIE STADT. Aus: Sämtliche Gedichte in einem Band. 1. Auflage Frankfurt am Main/Leipzig: Insel Verlag 2002.

Storm, Theodor: MEERESSTRAND. Aus: Sämtliche Gedichte in einem Band. Frankfurt am Main/Leipzig: Insel Verlag 2002.

Zech, Paul: DIE HÄUSER HABEN AUGEN AUFGETAN [TRAUM VOM BALKON]. Aus: Vom schwarzen Revier zur neuen Welt. Gesammelte Gedichte. Herausgegeben von Henry A. Smith. München/Wien: Carl Hanser Verlag 1983.

DIE BÜCHER MIT DEM BLAUEN BAND
Herausgegeben von Tilman Spreckelsen

Dieter Bartetzko, *Türme, Paläste und Kathedralen.*
Eine Zeitreise durch die Geschichte der Architektur
John Boyne, *Der Junge im gestreiften Pyjama.*
Mit farbigen Bildern von Gianni De Conno
Nadia Budde, *Such dir was aus, aber beeil dich!*
John Christohper, *Der Fürst von morgen*
Dr. Seuss, *Grünes Ei mit Speck. Das Allerbeste von Dr. Seuss*
Susanne Fischer, *Der Aufstand der Kinder*
John D. Fitzgerald, *Mein genialer Bruder und ich*
Louise Fitzhugh, *Harriet – Spionage aller Art*
Clement Freud, *Grimpel*
Robert Gernhardt, *Ein gutes Wort ist nie verschenkt.*
Gedichte und Geschichten für Kinder
Marie Hamsun, *Die Langerudkinder*
Ludwig Harig, *Wie die Wörter tanzen lernten. Eine erlebte Poetik*
Herbert Heckmann, *Geschichten vom Löffelchen*
Oscar Hijuelos, *Runaway*
Felicitas Hoppe, *Iwein Löwenritter*
Regina Kehn, *Das literarische Kaleidoskop*
Ole Lund Kirkegaard, *Hodja im Orient*
Marie-Aude Murail, *Das ganz und gar unbedeutende Leben der Charity Tiddler*
Gianni Rodari, *Gutenachtgeschichten am Telefon*
Georg Rüschemeyer, *Menschen und andere Tiere.*
Vom Wunsch, einander zu verstehen
Silke Scheuermann, *Emma James und die Zukunft der Schmetterlinge*
Robert M. Sonntag, *Die Scanner*
Wolfgang Spreckelsen (Hg.), *Das Haus hinter Mitternacht.*
Unheimliche Geschichten zum Erzählen
Theodor Storm, *Mondschein über dem Deich. Spukgeschichten und Märchen*
Richard von Volkmann Leander, *Die Traumbuche und andere Träumereien an*
französischen Kaminen
Martina Wildner, *Grenzland*
Johann David Wyss, *Der schweizerische Robinson.*
Nacherzählt von Peter Stamm

Weitere Bände sind in Vorbereitung